GUÍA DEL ESPACIO

VIAJE A TRAVÉS DE LA TIERRA

PETER GREGO

LAROUSSE

Título original: *Space Guides. Exploring the Earth*

Copyright © 2007 QEB Publishing

Publicado originalmente en Estados Unidos
por QEB Publishing, Inc.
23062 La Cadena Drive
Laguna Hills, CA 92653

EDICIÓN ORIGINAL
Autor Peter Grego
Producción Calcium
Publicación Sarah Eason
Ilustración Geoff Ward
Investigación fotográfica Maria Joannou
Edición Steve Evans
Dirección creativa Zeta Davies
Dirección editorial Hannah Ray

EDICIÓN EN ESPAÑOL
Dirección editorial Tomás García
Edición Jorge Ramírez
Traducción E.L., S.A de C.V.
        con la colaboración de Marianela Santoveña
Formación Astrid Guagnelli
Corrección Alma Martínez
Adaptación de portada E.L., S.A de C.V.
        con la colaboración de Pacto Publicidad, S.A.

D.R. © MMXIV E.L., S.A de C.V.
Renacimiento 180, México, 02400, D.F.

Primera edición en español, abril de 2014.

ISBN: 978-1-4206-8269-4 (QEB)
        978-607-21-0873-8 (Megaediciones)

Impreso en China - *Printed in China*

Créditos fotográficos
Clave: A = arriba, B = abajo, C = centro, I = izquierda,
D = derecha, P = portada, CF = cuarta de forros
Corbis/Bettmann 16, /Tom Bean 24–25, /Jonathan Blair 22–23, /Ric Ergenbright 26–27, /David
Muench 23B; ESA/NASA y G. Bacon 6; **Getty Images**/Iconica FCB, 11B, /Imagebank 20–21,
/Photodisc PA, 4, CF, /Taxi 16–17; **NASA** 9B, 10, 18, 19B, /GSFC 1, 19A, /GSFC/Jacques
Descloitres/MODIS Rapid Response Team 12–13, /GSFC/Craig Mayhew y Robert Simmon 28–29,
/IKONOS 3, /JPL-Caltech 7A, 7B, 8, /USGS 14, 15A; **NGDC** 29; **NOAA** 27, 28, /Philip Hall 13;
Science Photo Library/Chris Butler 26, /Mark Garlick 5A, /David A Hardy 9A, /Walter Pacholka/
Astropics 11A, /Soames Summerhays PC, /Dirk Wiersma 23A; **USGS** 24, 25, /Seth Moran 21

La información de sitio web es correcta al momento de ir a prensa. Sin embargo, el editor no puede aceptar
responsabilidad por cualquier información o enlaces encontrados en sitios web de terceros.

Las palabras en **negritas** se explican en el glosario de las páginas 30-31.

Contenido

El planeta azul

Nuestro planeta, la Tierra, es uno de los ocho planetas que conforman nuestro sistema solar. Los planetas giran en torno a una estrella llamada Sol. El clima en nuestro planeta depende de la luz y el tremendo calor del Sol, que también nos ayudan a mantener vivos a los hombres, a los animales y a las plantas.

La Tierra es un planeta de tamaño mediano, el quinto más grande del Sistema Solar. Mide 12 756 km de diámetro, de modo que recorrerlo caminando tomaría varios años.

Nuestro lugar en el Universo

La Tierra es nuestro hogar en el vasto **Universo**. Desde que el primer astronauta despegó en abril de 1961, sólo 24 personas han visto nuestro planeta desde el **espacio**. Desde allá parece un hermoso globo azul que gira a través de la oscura vastedad del espacio. Es una vista sobrecogedora.

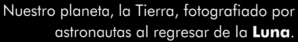

Nuestro planeta, la Tierra, fotografiado por ⇧ astronautas al regresar de la **Luna**.

Mercurio

Júpiter

Urano

Tierra

Sol

Venus

Marte

Saturno

Neptuno

⬆ Los ocho planetas de nuestro sistema solar mostrados a escala. A la izquierda se muestra la orilla del Sol, tan grande que podría contener un millón de Tierras.

Concepto clave

Nuestros vecinos

La Tierra es uno de los planetas mayores que orbitan **alrededor del Sol. Los cuatro planetas más cercanos al Sol son sólidos y rocosos, como la Tierra. Los cuatro más alejados son bolas de gas sin una superficie sólida.**

Un hermoso mundo

Desde el espacio no se ven las personas ni los límites entre países en la Tierra. Esto nos recuerda que sólo es un mundo, un lugar frágil que debemos proteger de la mejor manera posible.

Sol

cometa

Cinturón de asteroides

Este diagrama muestra los ocho planetas del Sistema Solar orbitando alrededor del Sol (1. Mercurio, 2. Venus, 3. Tierra, 4. Marte, 5. Júpiter, 6. Saturno, 7. Urano, 8. Neptuno). También incluye el **Cinturón de asteroides** y muchos **cometas**.

El nacimiento del Sistema Solar

Hace aproximadamente 4 600 millones de años, la ráfaga ocasionada por la explosión de una estrella alcanzó a sacudir una nube de gas y polvo que estaba cerca. La ráfaga ocasionó que algunas partes de la nube se juntaran tanto que se hicieron más densas (más grandes y voluminosas). En estas zonas había mayor **gravedad**: una fuerza que atrae los objetos pequeños hacia los más grandes. La gravedad hizo que las secciones más densas de la nube se juntaran en formas más sólidas. Los científicos creen que fue así como el material del que se formó el Sol se unió en un principio.

Nace una estrella

Conforme la nube de polvo se hizo más pesada, comenzó a girar. Esto produjo un disco plano de polvo y gas, que dio vueltas alrededor del material más denso, ubicado al centro. Conforme el centro se condensó, se fue volviendo más grande y caliente. Con el tiempo, el centro se volvió tan caliente que comenzó a arder; se volvió una estrella: el sol recién nacido había comenzado a brillar.

⬆ Durante la primera parte de su existencia, la Tierra era un globo caliente cocinándose al calor del joven Sol.

Un sistema solar joven

Mientras tanto, los fragmentos del disco de polvo y gas que rodeaban al Sol también fueron arrastrados juntos por la gravedad. Esto originó algunos grandes planetas, muchas lunas, miles de asteroides rocosos y cometas de hielo. Todos estos objetos crearon un nuevo sistema solar.

Los poderosos vientos provenientes de la nueva estrella enviaron lejos del sistema solar interior todos los gases ligeros. Sólo los objetos hechos de material más pesado permanecieron. Nuestra Tierra fue uno de ellos.

⇧ El joven Sol estaba rodeado de nubes de polvo y gas, las cuales se aglomeraron para crear planetas.

La gravedad de los ⇩ nuevos planetas barrió con toda roca y polvo que los orbitaba, pero los trozos más grandes permanecieron a mayor distancia, en el Sistema Solar. Ellos crearon el cinturón de asteroides entre Marte y Júpiter.

Circonia antigua

Cristales tomados de rocas en Australia resultaron tener 4 400 millones de años. Se formaron justo después de que se creara la Tierra.

Una joven Tierra

Muchos asteroides se estrellaron contra la superficie de la joven Tierra, y la temperatura de ésta comenzó a elevarse. Por su parte, la gravedad continuó atrayendo más y más material, y conforme la Tierra crecía, su interior se fue calentando cada vez más, hasta que fundió los metales de las rocas. Esos metales **fundidos** se hundieron hacia el centro y formaron el núcleo; el material más ligero ascendió y formó la capa más exterior, llamada corteza. Entre el núcleo y la **corteza** hay una capa de roca fundida extremadamente caliente, llamada manto.

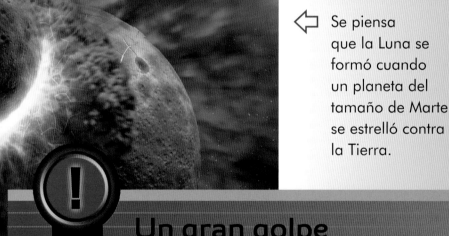

◁ Se piensa que la Luna se formó cuando un planeta del tamaño de Marte se estrelló contra la Tierra.

Un gran golpe

La Luna se formó por un choque. Se cree que un planeta de la mitad del tamaño del nuestro chocó contra la joven Tierra y expulsó una gran capa de material fundido. Una parte de este material se unió por la gravedad y formó la Luna.

Ataque de asteroides

Durante más de un billón de años luego de formada la Tierra, muchos asteroides chocaron contra su delgada y rocosa corteza. Eso permitió que la roca fundida y caliente del centro saliera a la superficie y se extendiera en forma de capas de **lava** hirviendo. Con el tiempo, estas capas ayudaron a crear la corteza terrestre.

Los asteroides también chocaron contra la superficie de la Luna, produciendo cráteres. Si la superficie de la Tierra no hubiera seguido cambiando por los movimientos de su corteza, los volcanes y la erosión, tendría tantos cráteres como la Luna.

Muchos asteroides chocaron contra la Tierra y la Luna durante su historia temprana.

Lagos y mares

El impacto de asteroides produjo mucho calor. Cuando éstos dejaron de chocar contra la Tierra con tanta frecuencia, su corteza comenzó a enfriarse y hacerse más gruesa. Los volcanes continuaron haciendo erupción, liberando lava y vapor de agua. Cuando la Tierra se enfrió, el vapor de agua se convirtió en líquido formando lagos y mares. Algunos cometas helados se derritieron al chocar y agregaron más agua. Ahora la Tierra tiene zonas de tierra y de agua.

En la superficie de la Luna podemos ver cráteres que tienen miles de millones de años. A pesar de ser tan viejos, parecen muy nuevos. Tienen paredes empinadas y bordes muy nítidos, y a menudo salen grandes montañas de sus centros.

Continentes, placas y montañas

Todas las masas continentales (o continentes) que se ven hoy en la Tierra estuvieron un día unidos en una gran masa conocida como Pangea, que estaba rodeada por un enorme océano. Sin embargo, la roca fundida del manto empujó la corteza de la Tierra, que en consecuencia se rompió en piezas más pequeñas llamadas placas. A medida que la corteza se fracturaba, Pangea también se dividía en piezas más pequeñas.

Placas cambiantes

Los espacios entre las placas aumentaron a medida que el magma fundido del manto ascendía por ellas. Esto provocó que América del Sur se desprendiera de África, y que la India y Australia se separaran de la Antártida. Hace cien millones de años, el magma fundido también apartó Europa de América del Norte. El agua del océano llenó el espacio entre estos nuevos continentes, creando nuevos mares y océanos.

Las líneas rojas muestran las placas de la corteza terrestre.

América del Norte

Europa

Asia

África

América del Sur

Australia

Alfred Wegener (1880-1930)

Sabemos que las placas de la corteza terrestre se están moviendo y que la Tierra se veía muy diferente. Pero, ¿cómo lo descubrimos? Al observar las formas de los continentes podemos notar que alguna vez habrán encajado, como un rompecabezas gigante. Por ejemplo, si la costa occidental de África se pusiera junto a la costa oriental de América del Sur, ajustarían cómodamente. Sus rocas y fósiles también son similares, lo cual sugiere que en algún momento fueron una sola masa continental. La teoría de que los continentes se mueven, o se desplazan, fue planteada por primera vez por el científico alemán Alfred Wegener, hace sólo cien años. Si bien se mueven sólo algunos centímetros al año, a lo largo de millones de años estos centímetros suman una gran distancia. A este movimiento de los continentes se le llama deriva continental.

 El Himalaya constituye la cordillera más grande de la Tierra, y sigue creciendo. Surgió cuando la India se movió hacia el sur de Asia y empujó la corteza terrestre.

Las montañas

Las montañas se forman cuando dos placas se empujan mutuamente y levantan la corteza terrestre. En ocasiones, la corteza bajo el océano empuja la corteza debajo de un continente y forma una montaña. No obstante, las cordilleras más grandes aparecen cuando las placas debajo de dos continentes chocan y se pliegan.

Las montañas son resultado del movimiento de las placas.

La Tierra cambia

Si pudiéramos haber visto la Tierra desde el espacio hace cien años, las formas y posiciones de las zonas principales de tierra se verían exactamente igual que hoy. Sin embargo, la superficie del planeta está en constante transformación. Algunos cambios son rápidos, como los causados por sismos o volcanes. Otros ocurren en periodos de tiempo más largos, como la erosión de las rocas por el clima, el agua o la deriva continental.

Algunas partes de la superficie terrestre se forman al acumularse material durante un largo periodo. A esto se le llama sedimentación. Un ejemplo de esto son las pequeñas islas en la desembocadura del río Lena, en Rusia. Se formaron cuando lodo, fragmentos de roca y otros materiales sueltos fluyeron río abajo y se acumularon donde el río desemboca en el océano. Las islas dividen el río en una red de pequeños canales llamada delta.

Desplazamientos de tierra

Hemos registrado los cambios de nuestro planeta durante unos miles de años. Se trata de un periodo muy corto comparado con la vida de la Tierra, que tiene alrededor de 4 600 millones de años. Si pudiéramos abordar una máquina del tiempo y recorrer la historia de la Tierra de modo que cada siglo pasara en un segundo, nos sorprendería ver cómo aparecen y desaparecen montañas; surgen océanos y luego quedan borrados; se crean y destruyen litorales, y se forman nuevos continentes. Al mismo tiempo, el nivel del mar subiría y bajaría a medida que las **capas de hielo** en los polos Norte y Sur crecieran y se encogieran.

Concepto clave

Deriva continental

La deriva continental aún está ocurriendo, impulsada por los profundos movimientos dentro del manto caliente de la Tierra. El océano Atlántico se está ensanchando alrededor de 4 cm al año. India sigue chocando con el sur de Asia, plegando la corteza sólida entre los dos continentes. Esto está levantando más la imponente cordillera del Himalaya.

⇧ Este glaciar (parte de una capa de hielo) se está derritiendo porque el **clima** se calienta. En cientos de años, podría derretirse por completo. Si esto ocurre, subirá el nivel de los mares y se inundarán zonas de tierra. Volverá a cambiar el aspecto de la Tierra.

⇦ Este mapa muestra cómo se vería Europa si el nivel del mar se elevara 100 m. El color azul claro señala las zonas que quedarían inundadas.

mar del Norte

mar Báltico

océano Atlántico

mar Negro

mar Mediterráneo

13

Volcanes y terremotos

Los volcanes se forman en puntos donde la lava, roca caliente y fundida, atraviesa la corteza y llega a la superficie. Como las montañas, los volcanes suelen surgir donde las placas chocan o se mueven. Existen alrededor de 1500 volcanes activos y ninguno es igual a otro. Los que se yerguen en los límites de los continentes suelen ser altos y empinados, y han crecido a través de los años gracias a erupciones de lenta y gruesa lava, así como ceniza acumulada.

El Vesubio

Uno de los volcanes más famosos es el Vesubio, en la costa occidental de Italia. Éste comenzó siendo una pequeña colina volcánica hace unos 25000 años, y hoy en día mide 1300 m de altura. Hace casi 2000 años, una erupción del Vesubio destruyó las ciudades cercanas de Pompeya y Herculano.

En el año 79, las ciudades de Pompeya y Herculano quedaron completamente enterradas bajo cenizas y rocas volcánicas cuando el Vesubio hizo erupción. Los cuerpos de las víctimas (como los que se muestran aquí) se preservaron en capas de ceniza volcánica y aún pueden verse en la actualidad.

Éste es el monte Santa Helena. Donde ahora está el enorme cráter solía haber una imponente cima de montaña.

Monte Santa Helena

Una de las erupciones más devastadoras de los últimos años ocurrió en mayo de 1980 en Washington, al estallar la cima del monte Santa Helena. La inmensa explosión arrojó al aire una columna de cenizas de 25 km de altura.

Terremotos

Los **terremotos** ocurren cuando se separan repentinamente dos placas que están trabadas.

Los temblores pueden ir de ligeras vibraciones hasta devastadoras sacudidas que pueden derribar edificios. En Gran Bretaña se dan pequeños temblores cada año, pero pocos causan daños reales. Los edificios altos en zonas donde ocurren grandes terremotos, como California y Japón, se construyen para soportar el violento zarandeo del suelo. En países más pobres, los edificios suelen no estar tan bien construidos, de modo que llegan a perderse muchas vidas cuando tiembla cerca de ciudades muy pobladas.

Asia

América del Norte

océano Pacífico

Australia

América del Sur

□ Cinturón de Fuego

Los terremotos son comunes a lo largo del Cinturón de Fuego del Pacífico. Allí, la placa que se encuentra bajo el océano empuja las placas continentales que la rodean.

Dentro de la tierra

Los movimientos naturales de la Tierra han revelado muchas cosas sobre las rocas que se hallan bajo su superficie. Algunas capas de roca que solían estar enterradas se han ido levantando a medida que la corteza se mueve y desplaza. Al formarse el Gran Cañón, en EUA, se hizo un corte de 1 600 m de profundidad en la corteza terrestre, y descubrió rocas que tienen ¡más de mil millones de años!

Perforando la Tierra

Los científicos han aprendido mucho sobre las rocas de la Tierra al perforar su corteza. EUA lanzó uno de los primeros grandes proyectos científicos de perforación en 1957, llamado Proyecto Mohole. Se perforó el suelo oceánico en la costa de México, cortando el lecho marino a 3 km bajo la superficie del agua. Se descubrieron rocas de más de cinco millones de años.

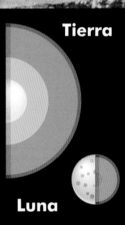

Tierra

Luna

⇧ Comparación del interior de la Tierra y la Luna. Las entrañas de la Tierra están calientes y fundidas, y las de la Luna son mucho más frías y sólidas.

! Excavación profunda

El proyecto Kola Superdeep Borehole, en el norte de Rusia, ha perforado más de 11 km y recogido muestras de roca de más de 2 700 millones de años.

Midiendo sacudidas

Se han descubierto datos sobre el grosor y la **densidad** de la corteza, el manto y el núcleo terrestres al estudiar los movimientos causados por los terremotos. Éstos producen distintos tipos de movimientos: unos empujan y jalan la corteza, otros la mueven hacia arriba y hacia abajo. Al medir estos movimientos, se puede establecer la densidad del material debajo de la corteza para esbozar una imagen del interior del planeta.

⬆ Las minas abiertas, como ésta en Rusia, parecen muy profundas, pero apenas rasguñan la superficie de la corteza.

⬆ En el monte Santa Elena se estableció una estación científica para medir el impacto de los volcanes y los efectos que tiene en las plantas y animales.

Las rocas

La Tierra contiene tres principales tipos de rocas: rocas ígneas, rocas sedimentarias y rocas metamórficas.

Las rocas ígneas

Las rocas ígneas se forman cuando la roca fundida se enfría y endurece. Cuando se forman en la superficie se llaman rocas volcánicas, como el basalto y la piedra pómez; esta última se enfrió al ser arrojada de un volcán, es áspera y está llena de agujeros causados por las burbujas de gas que había en su interior cuando estaba fundida.

Las rocas ígneas formadas bajo la superficie de la Tierra se llaman rocas plutónicas. Éstas se enfriaron más lentamente que las volcánicas. El granito es un tipo de roca plutónica.

⇧ El granito es una roca ígnea plutónica que se forma cuando el magma fundido se enfría a grandes profundidades. Es muy dura.

Proyecto

En busca de rocas

Recoge muestras de rocas locales y trata de identificarlas. Tu biblioteca o museo local puede tener información sobre los tipos de rocas en tu zona. Quizá vives sobre un antiguo volcán, ¡o en suelo que solía ser parte del lecho marino!

Ésta es una roca sedimentaria llamada conglomerado porque está hecha de fragmentos de roca unidos por un material más fino.

Las rocas sedimentarias

Estas rocas son las más comunes, como la arenisca. Se forman cuando otras rocas se rompen y erosionan. El material que se asienta en el lecho marino también puede endurecerse con el tiempo para convertirse en rocas sedimentarias, como la cal y la caliza. Estas rocas están hechas de esqueletos de pequeñas criaturas marinas. El carbón es una roca sedimentaria formada con restos de plantas y árboles muertos.

Rocas metamórficas

Las rocas metamórficas se forman cuando un tipo de roca se transforma en otro tipo por el calor extremo y la presión dentro de la corteza terrestre. Las rocas ígneas y las sedimentarias pueden transformarse en metamórficas, así como las rocas metamórficas pueden transformarse en otras rocas metamórficas diferentes.

El gneis es un tipo de roca metamórfica.

Las eras de la Tierra

Hace cien años, los **geólogos** que estudiaban la Tierra sabían que la mayoría de las rocas eran muy viejas. Por ejemplo, el carbón —hecho de árboles antiguos y restos de otras plantas— necesita muchos miles de años de compresión debajo de la superficie para formarse. Sin embargo, sólo podían adivinar la edad real de las rocas.

Relojes en las rocas

Todo cambió cuando los científicos descubrieron ¡"relojes en las rocas"! Los geólogos vieron que podían medir una propiedad especial de las rocas —llamada **radioactividad**— que podía decirles cuántos años tenían éstas realmente.

Los geólogos usan simples martillos para recolectar muestras de rocas. Después las examinan en un laboratorio con instrumentos complejos como éste, que pueden medir la radioactividad de las rocas para revelar su edad.

Línea de tiempo

Los geólogos han establecido diferentes periodos en la historia para ayudarse a establecer la edad de las rocas. Las más viejas tienen alrededor de 4 000 millones de años y son de un periodo llamado Precámbrico. Son rocas metamórficas del noroeste de Canadá. Sabemos más sobre las condiciones en la Tierra durante los periodos posteriores, desde el Cámbrico (hace cerca de 540 millones de años) hasta el Cuaternario, que comenzó hace alrededor de 1.8 millones de años, pasando por varios otros periodos.

Los fósiles

Muchas rocas sedimentarias contienen fósiles, que son impresiones de la vida prehistórica. Unas criaturas fosilizadas no se parecen a nada que exista hoy; deben haberse extinguido hace mucho tiempo. Los fósiles de animales extintos se sumaron a la evidencia de que la mayoría de las rocas terrestres son realmente muy viejas.

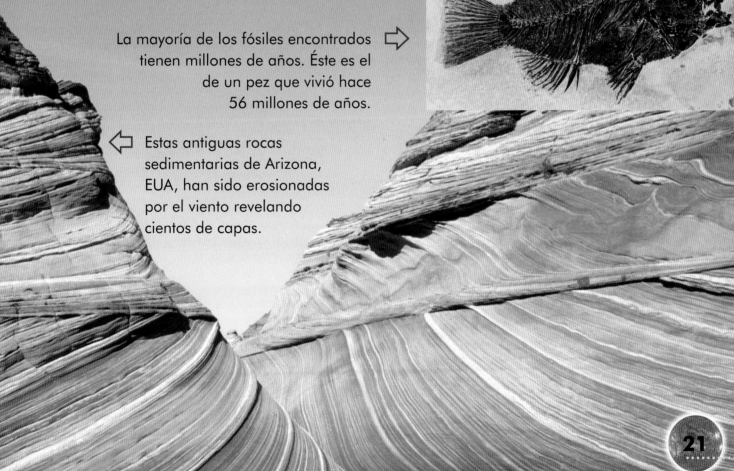

La mayoría de los fósiles encontrados tienen millones de años. Éste es el de un pez que vivió hace 56 millones de años.

Estas antiguas rocas sedimentarias de Arizona, EUA, han sido erosionadas por el viento revelando cientos de capas.

Agua y hielo

Tres cuartas partes de la superficie terrestre están cubiertas de agua. Ésta comprende seis grandes océanos, además de varios mares, lagos y ríos. El océano Pacífico es el más grande del mundo. Tiene 15 000 km de ancho y 5 km de profundidad, eso es mucho más que todos los continentes de la Tierra juntos.

Mares y lagos

La Tierra tiene muchos mares, lagos interiores y miles de ríos. El mar interior más grande es el Mediterráneo, que se encuentra entre África y Europa. El mar Caspio, completamente rodeado de tierra firme, es el lago **de agua salada** más extenso y está en Asia Occidental. Los cinco Grandes Lagos de América del Norte son los lagos **de agua dulce** más grandes del mundo; contienen 20% del total de este tipo de agua de la superficie terrestre.

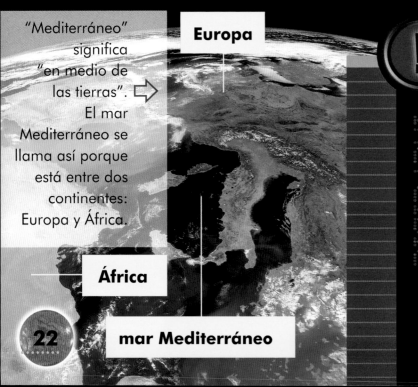

"Mediterráneo" significa "en medio de las tierras". El mar Mediterráneo se llama así porque está entre dos continentes: Europa y África.

Europa

África

mar Mediterráneo

Escasez de agua

La Tierra es el único lugar del Sistema Solar con agua en su superficie. Algunos otros planetas y lunas tienen agua, pero está encerrada en forma de hielo por la enorme distancia a la que se encuentran del calor del Sol. Mercurio y Marte tienen hielo en sus regiones polares.

Ésta es una vista de la Tierra tomada desde el espacio. La Tierra es llamada el "planeta azul" porque gran parte de su superficie está cubierta de agua.

Los polos helados

En los extremos superior e inferior de la Tierra hay dos zonas llamadas Polo Norte y Polo Sur. Están tan lejos de los rayos solares que son muy frías y están cubiertas de hielo y nieve. Ha habido varias **eras de hielo** en la historia, cuando el planeta se ha enfriado tanto que el hielo polar se ha extendido cubriendo más tierra y disminuyendo el nivel del mar. Hoy, la Tierra se está calentando poco a poco, por eso el hielo en los polos se está derritiendo y el nivel del mar está aumentando.

En el continente helado, Antártida, el hielo se derrite lentamente.

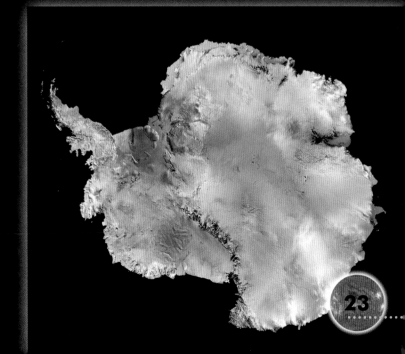

La atmósfera

La Tierra está rodeada por la atmósfera, una capa protectora de gases. Éstos incluyen nitrógeno y oxígeno, el gas que todo tipo de vida necesita para sobrevivir. Entre más arriba estemos, encontraremos menor cantidad de estos gases. La atmósfera termina más o menos a 100 km de altura, donde comienza el espacio.

Un escudo protector

La atmósfera es una barrera que evita que el espacio nos dañe. Absorbe los rayos peligrosos del Sol. La mayoría de los **meteoroides** y pequeños cometas del espacio se deshacen cuando entran en la atmósfera, pero alrededor de 500 meteoritos muy pequeños alcanzan la superficie terrestre cada año.

 ¿Los **huracanes** más severos son resultado del **calentamiento global**? Esta foto retrata el huracán Andrew acercándose a la costa sur de EUA, en agosto de 1992.

Una manta de clima

Gran parte de la atmósfera está en una capa de 10 km de profundidad. El calor y el vapor de agua se mueven alrededor de la Tierra dentro de la atmósfera, lo cual produce los distintos patrones climáticos.

Concepto clave

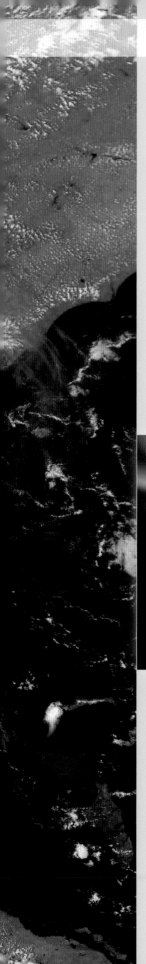

Espectáculos en la atmósfera

Ciertos espectáculos del cielo nocturno se producen en la atmósfera. Los fragmentos de cometas que se queman en ella producen destellos de luz llamados **meteoros**. La mayoría de los meteoritos son inofensivos trozos de meteoroides, que al atravesar la atmósfera se convierten en bolas de fuego espectaculares.

⇧ Cuando entran en la atmósfera pequeños objetos espaciales, como estos meteoritos, se queman y van dejando un rastro tras de sí.

⇦ Las auroras son espectáculos de luz multicolor que ocurren en la atmósfera. Se producen cuando algunas partículas del Sol interactúan con el campo magnético de la Tierra, entran en la atmósfera y brillan radiantemente. Ésta es una foto de la Aurora Boreal (Luces del Norte), vista sobre Islandia.

El calentamiento global

Los climas extremos, como las sequías y los huracanes, algunas veces son resultado de los cambios climáticos, porque la Tierra se calienta. Muchas personas piensan que el calentamiento global es consecuencia de la actividad humana. Nuestros autos, aviones y fábricas liberan demasiados gases nocivos a la atmósfera y la dañan, de modo que ya no puede protegernos como debería. Debemos cuidar nuestra atmósfera para que pueda seguir haciendo su trabajo.

Vida en la Tierra

Como hemos visto, el planeta Tierra es especial de muchas maneras. Quizá su cualidad más especial sea que es un planeta donde muchas plantas y animales pueden sobrevivir.

La vida inicia

La vida apareció en la Tierra hace alrededor de 3 500 millones de años. Las formas de vida simples podían transformar el dióxido de carbono y el agua en oxígeno. Luego se desarrollaron otras formas de vida que utilizaban este oxígeno. Hace cerca de 540 millones de años, al inicio del Periodo Cámbrico, las formas de vida se hicieron más complejas y variadas, y diversas plantas y animales comenzaron a prosperar por mar y por tierra.

⇩ Estos acantilados de caliza se formaron con los esqueletos de miles de millones de pequeñas formas de vida marina que existieron hace más de 100 millones de años.

⇧ Así es como la Tierra podría haberse visto a principios del Periodo Cámbrico, cuando comenzó a florecer la vida en el planeta.

Un entorno apropiado

Hay muchos entornos diferentes en la Tierra, con plantas y animales adaptados a cada uno de ellos. Hay vida casi en cualquier lado, desde los ardientes conductos volcánicos en las profundidades del océano hasta el mundo congelado de la Antártida.

⬆ Esta chimenea volcánica en el lecho marino es la "fumarola negra". La vida pudo haberse desarrollado primero en este entorno marino.

El ADN y la evolución

Todas las plantas y animales contienen ADN. **Se trata de un código que establece la forma en que algo debe verse y funcionar; éste ayuda a que todo crezca y se reproduzca. Si el ADN de un animal o planta cambia, éstos se verán y comportarán de otro modo, lo cual podría darles más herramientas para adecuarse a su entorno y sobrevivir. El ADN de la vida en la Tierra ha cambiado durante millones de años, es por eso que existen tantos tipos diferentes de plantas y animales viviendo en nuestro planeta. A estos cambios se les llama** evolución.

Concepto clave

Vigilando la Tierra

Los **satélites** permiten estudiar la Tierra desde el espacio. Han enseñado mucho sobre sus continentes, mares, capas de hielo y atmósfera. También podemos usarlos para observar los cambios que afectan nuestro planeta.

Satélites de mapeo

Estos satélites miden con cuidado las formas de la superficie terrestre, desde los picos del Himalaya hasta los valles de California. También recaudan datos para realizar mapas detallados de los suelos oceánicos. Incluso, algunos pueden mostrar los tipos de **minerales** que contienen las rocas terrestres.

De noche, los satélites muestran cuánta gente vive en el planeta, cuando están encendidas las luces de ciudades, carreteras e industrias.

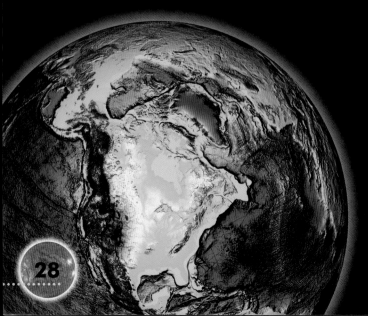

Los satélites en órbita han mapeado la superficie terrestre y el lecho marino.

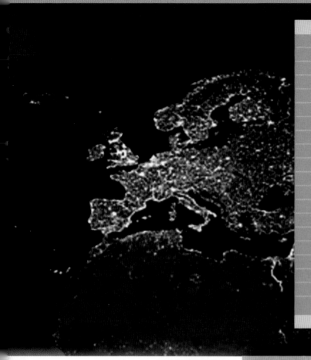

Ubicando satélites

Observa el cielo en una noche clara. Si ves un punto blanco de luz moviéndose en línea recta a través del cielo, probablemente sea un satélite. Está orbitando a cientos de kilómetros de distancia. La Estación Espacial Internacional **también puede verse muy brillante porque la luz solar se refleja en sus grandes y relucientes paneles.**

Satélites del clima

El clima comenzó a ser monitoreado desde el espacio en 1960. Desde entonces, los satélites que lo observan han avanzado mucho. Ahora pueden rastrear nubes y tormentas, identificar nubes de lluvia, observar el polvo que arrojan los volcanes a la atmósfera y medir el contenido químico de la misma.

El efecto de los humanos sobre el planeta

Cada año se talan selvas tropicales para dar lugar a tierras de pastoreo. En 2006, los satélites mostraron que una zona de la selva brasileña del tamaño de Grecia había sido destruida de esta manera. Estos cambios perjudican la vida vegetal y animal, dañan nuestro clima y podrían cambiar el aspecto de la Tierra para siempre. Debemos cuidar mejor a la Tierra para que continúe siendo uno de los planetas más hermosos y llenos de vida del Sistema Solar.

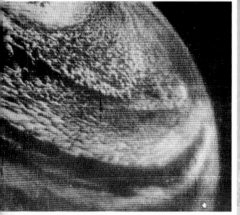

⇧ La primera imagen de la Tierra desde un satélite de clima fue captada en 1960.

Glossario

ADN sustancia en las células de cualquier planta o animal en la Tierra. ADN quiere decir ácido desoxirribonucleico.

Agua dulce agua que no contiene mucha sal. Se encuentra en la mayoría de los lagos y ríos.

Agua salada agua que contiene mucha sal. Este tipo de agua suele encontrarse en mares y océanos.

Asteroide fragmento de roca en el espacio.

Calentamiento global aumento gradual en la temperatura promedio de la Tierra.

Capas de hielo gruesas y amplias láminas de hielo que cubren las regiones polares de la Tierra.

Cinturón de asteroides zona del espacio entre Marte y Júpiter donde hay miles de grandes asteroides.

Clima temperatura y tiempo promedio experimentados en distintas partes del mundo.

Cometa enorme fragmento de gases congelados, hielo y restos de rocas que orbita alrededor del Sol. El núcleo de un cometa mide más o menos lo que una montaña en la Tierra.

Continente gran masa terrestre. Existen cinco continentes en la Tierra: Asia (el más grande), África, América Europa y Oceanía (el más pequeño).

Cráter agujero circular en forma de cuenco en la superficie de un planeta. Los cráteres surgen del impacto de un asteroide o la explosión de un volcán.

Densidad qué tan pesado es un objeto en comparación con su volumen.

Deriva continental movimiento de los continentes de la Tierra.

Eras de hielo periodos de enfriamiento global que duran alrededor de 100 000 años, durante los cuales crecen los casquetes polares.

Erosión desgaste de la superficie terrestre por elementos climáticos como la lluvia y el viento.

Espacio todo lo que está más allá de la atmósfera terrestre.

Estación Espacial Internacional gran estructura en órbita alrededor de la Tierra donde se llevan a cabo investigaciones sobre el espacio.

Evolución proceso mediante el cual las formas de vida en la Tierra han cambiado para sobrevivir en su entorno particular.

Fósil restos de plantas y animales prehistóricos preservados en roca.

Fundido algo tan caliente que se ha derretido.

Geólogo alguien que estudia la estructura de la corteza terrestre y sus capas.

Gravedad fuerza de atracción entre todos los objetos con masa en el Universo. Es la fuerza que atrae a los objetos hacia la Tierra. También es responsable de que todos los planetas permanezcan en sus órbitas alrededor del Sol.

Huracán poderosa tormenta de nubes de lluvia de cientos de kilómetros de ancho, con vientos de más de 100 km/h de velocidad promedio.

Lava roca caliente y fundida que sale de debajo de la superficie de un planeta (en general a través de un volcán).

Luna el único satélite natural de la Tierra. También otros satélites naturales se conocen como lunas.

Magma roca fundida debajo de la corteza de un planeta.

Manto capa de roca fundida entre la corteza y el núcleo terrestres, que tiene alrededor de 2 900 km de grosor.

Meteoroide pequeña roca en el espacio, en general es un fragmento de asteroide.

Mineral material sólido que se encuentra naturalmente en el suelo. Las rocas están hechas de minerales.

Núcleo la parte más pesada y gruesa de un planeta, que se encuentra en su centro.

Órbita trayectoria curva de un planeta u otro objeto alrededor de una estrella, o de una luna alrededor de un planeta.

Placa amplia porción de la corteza terrestre que flota sobre el magma.

Planeta gran objeto redondo que orbita alrededor de una estrella. El Sol tiene ocho planetas mayores: Mercurio, Venus, Tierra, Marte, Júpiter, Saturno, Urano y Neptuno.

Polos puntos en los extremos opuestos de un planeta.

Radiactividad energía emitida por las rocas, gracias a la cual los científicos calculan la edad de estas rocas.

Satélite objeto natural o artificial en órbita alrededor de un objeto más grande. Los satélites naturales también se conocen como lunas.

Sistema Solar zona del espacio que contiene nuestro Sol, los planetas con sus lunas, asteroides y cometas.

Sol nuestra estrella más cercana, una enorme bola de gas ardiente.

Terremoto sacudida en la corteza terrestre producida cuando dos placas se deslizan una contra otra.

Universo todo lo que hay hasta los límites inimaginablemente distantes del espacio.

Volcán montaña formada por la erupción de roca caliente fundida, y pilas de ceniza.

Índice